崔多英◎编著

北京联合出版公司
Beijing United Publishing Co.,Ltd.

图书在版编目 (CIP) 数据

暖暖心动物绘本 / 崔多英编著 .—北京 : 北京联合出版公司，2018.5（2018.10 重印）

（幼儿小百科）

ISBN 978-7-5596-1937-2

Ⅰ. ①暖… Ⅱ. ①崔… Ⅲ. ①动物－儿童读物 Ⅳ. ① Q95-49

中国版本图书馆 CIP 数据核字 (2018) 第 068742 号

幼儿小百科

·暖暖心动物绘本·

选题策划：

项目策划：冷寒风

责任编辑：杨　青　高霁月

特约编辑：张云泳

插图绘制：铁皮人美术　大河插画工作室　多多卡通工作室　海洛创意

美术统筹：段　瑶

封面设计：段　瑶

北京联合出版公司出版

（北京市西城区德外大街83号楼9层 100088）

艺堂印刷（天津）有限公司印刷 新华书店经销

字数10千字 720×787毫米 1 / 12 4印张

2018年5月第1版 2018年10月第2次印刷

ISBN 978-7-5596-1937-2

定价：24.90元

目录

森林里的精灵

草原上的英雄

沙漠中的行者

美猴王驾到

孙悟空是《西游记》里的美猴王，那么现实中的美猴王是谁呢？没错，就是人见人爱的金丝猴。

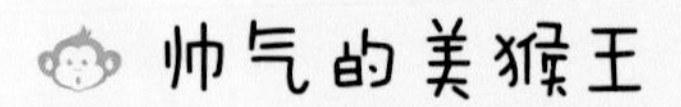

帅气的美猴王

金丝猴是一种长得很好看的猴子，一身金黄色的毛好像披着金光闪闪的斗篷。

它没有鼻梁、鼻孔朝天，所以学名又叫“仰鼻猴”。

服从命令

《西游记》里的孙悟空因为本领大当上了美猴王，金丝猴也会推举年长、有本事的猴子当猴王。猴王的命令就像圣旨一样，哪只小猴稍有怠慢就会受到惩罚。

团结友爱

金丝猴的家族是个团结友爱的大家庭。大猴经常给小猴梳理毛发、捉身上的小虫子，它们一起找吃的、一起玩耍。

无私奉献

为了防止敌人来犯，它们还会安排哨猴“站岗放哨”。当其他猴子休息、玩耍时，敬业的哨猴依然在观察敌情，确保整个猴群的安全。

阿姨行为

小金丝猴一出生，就会引起雌性金丝猴的极大兴趣。它们整天围着小宝宝，轮流抚摸、亲吻，甚至不让雄性金丝猴碰一下。人们把这一行为称为“阿姨行为”。

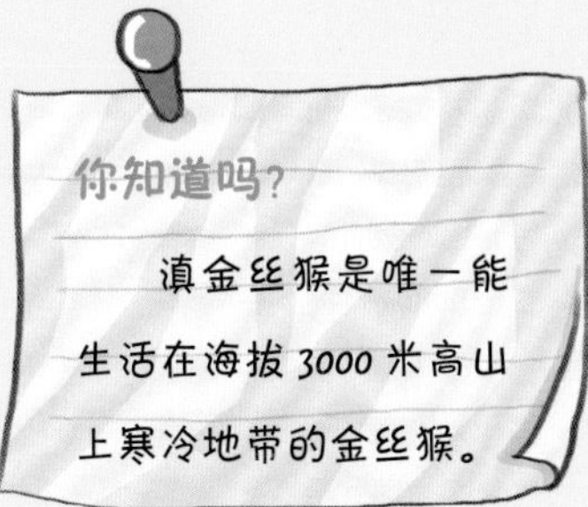

大熊猫喝醉了

大熊猫的故乡在中国，小朋友们都非常喜欢它。但是你们可能不知道，它是容易“喝醉”的“国宝”。

黑白萌宝

大熊猫全身黑白相间，大大的黑眼圈远看就像戴着一副墨镜，可爱极了。

爱吃竹子

竹子是大熊猫最喜爱的食物，其中它们最喜欢吃的有大箭竹、华西箭竹等7种竹子。

熊猫醉水

大熊猫非常喜欢喝水。有时候，它们会在溪边没命地喝水，甚至撑得走不动路，像喝醉酒一样“一醉不起”。

认路高手

每只大熊猫都有自己的领地，选定领地后，它们会在树上留下爪痕或气味，即使外出觅食，也不忘做好标记。因此，大熊猫从不迷路。

野生大熊猫住在哪儿？

野生大熊猫一般生活在高山竹林中，它们喜欢温凉潮湿的气候，喜欢过独来独往的生活。目前，野生大熊猫已濒临灭绝，数量不足2000只，非常珍贵。

大熊猫的梦想是什么？
有一张彩色照片。

鹿中的王子

漂亮温驯的梅花鹿，是鹿中的“王子”。

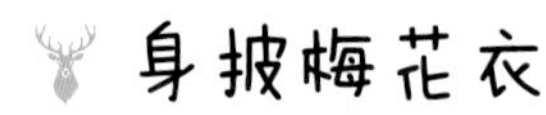

身披梅花衣

它们棕色或橘红色的身上，有梅花一样的白色斑点，因此被称为梅花鹿。雄鹿长着树枝一样的鹿角，角上一般有 4~5 个分叉，很威风。而雌鹿则没有鹿角。

慈爱的鹿妈妈

小鹿出生后，只需几个小时就能站起来，随妈妈四处跑动。鹿妈妈对小鹿非常爱护，出树林前，总要先四处观察，确定没有问题后，才把小鹿带出来。

田径高手

梅花鹿擅长奔跑、跳跃，尤其是遇到敌人时，它们的奔跑速度快得惊人。

争夺王位

每年 8~10 月，雄鹿为了争夺“王位”，会举行角斗大赛。雄鹿以鹿角为武器，像“碰碰车”一样互相撞击。最后，鹿角没有被撞断的雄鹿将成为胜者。

事实上，所有雄鹿在每年 4 月中旬都会脱落旧角，长出新角。

梅花鹿天生胆小，但它们的视觉、听觉、嗅觉都非常灵敏，对生存的环境要求极高。如果梅花鹿能在某个地区生存繁殖，说明那里的环境非常好。

你好，树袋熊

树袋熊又名考拉，是森林里有名的“慢郎中”，从树上爬下来找点水喝都要花费大半天时间。

边走边睡

树袋熊动作慢，并不代表不耗费体力呀！不一会儿，小树袋熊就爬累了，它停下来休息。没想到一眨眼的工夫，它居然抱着树杈睡着了！

无尾熊

趴在树上的小树袋熊还真像一只憨态可掬的小熊呢，不过它和熊没有任何亲缘关系哦！它的尾巴早已退化成厚厚的“坐垫”，所以它可以长时间舒适地坐着，还因此获得了“无尾熊”的称号。

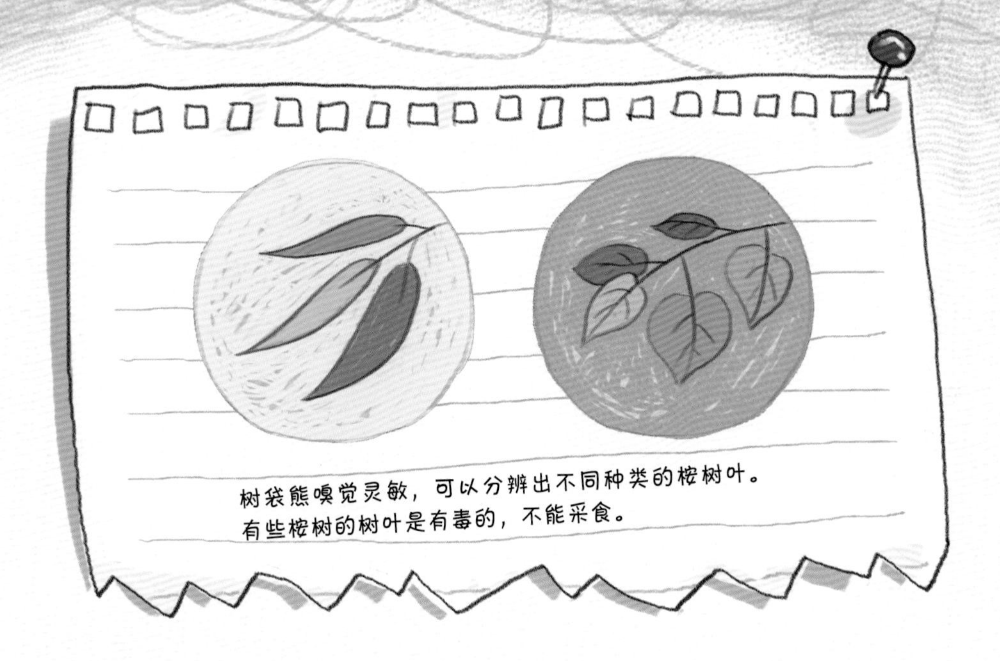

口味独特

树袋熊只吃少数几种桉树的树叶。桉树叶营养低，纤维含量又特别高，非常难消化，对其他动物来说简直是毒药。但树袋熊的消化系统早就在长期进化中完善了，桉树叶在它的消化系统里能被最大程度地消化吸收。

你知道吗?

说起睡觉，树袋熊可是个无可救药的家伙，它每天都要至少睡上 18 个小时呢！平时，树袋熊身体里 90% 的水分都能直接从食物中获取；只有生病或干旱时，它们才喝水，以加快新陈代谢。

小小的狐狸，大大的狡猾

很多人都知道，狐狸是狡猾的代名词。当然，说它狡猾是有根据的。

天生的“演员”

狐狸怎么突然倒在地上了呢？原来它在表演“装死”。一旦发现敌情，又来不及逃离，狐狸会立即往地上一躺，心脏也停止了跳动。狼或老虎等大型食肉动物跑过来一看，以为狐狸死了，肉吃起来也不新鲜了，就会转身离开。

机警的“侦探”

狐狸是机智的侦探。它们会偷偷跟踪猎人，猎人设好陷阱离开后，它们会在陷阱旁留下一种特殊的气味，提醒其他同伴避开这里。

你知道吗？

狐狸吃危害农田的田鼠、黄鼠、仓鼠等，所以狐狸对农业生产是有保护作用的。

团结的狼族

狼族是一个强大而团结的群体。狼族中最出色的狼会成为狼王，小狼则会得到大家的呵护。

长相凶狠

狼长着锋利的尖牙，竖着三角耳，眼睛如同黑暗中的火光，明亮闪烁。

捕猎高手

狼善于奔跑，耐力很好。看准一只猎物，它们会穷追不舍，直到猎物跑不动了，再一起围攻它。因此，很少有动物能逃脱狼群的追捕。

狼群拥有严格的等级制度和领域范围，一只狼如果不小心进入其他狼群的领域，很可能会被狠狠教训。

分工明确

一个狼群就是一个大家庭。狼群中的任何成员都要听从狼王的决定。母狼负责抚育小狼，公狼负责打猎。它们会将猎物撕咬成碎片，吃进腹内，待回到小狼身边时，再吐出来喂小狼。

善于交流

狼虽然凶狠无比，却非常善于交流。狼群成员之间会使用嚎叫、用鼻尖互相触碰、用舌头舔、摇尾巴等方式，或者利用气味，向同伴传递信息。

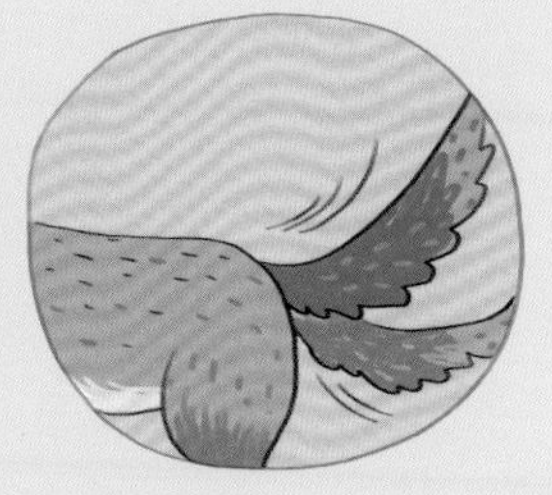

你知道吗？

狼虽然是很多动物的敌人，但它们在平衡生物链方面的作用非常大。因此，狼是世界上不可缺少的动物种群。

威风的虎大王

谜语：“山中一大王，身上穿花袄。虽然没兵将，一叫谁都慌。”——你猜到谜底了吗？答案就是威名远扬的百兽之王——老虎。

顶级捕食者

老虎是体型最大的猫科动物之一。老虎的身长最长可以达到 4 米，体重最重可以达到 350 千克。它们强壮的身体以及高超的奔跑能力，几乎让森林里所有的动物都望而生畏。实际上，也很少有动物能逃脱得了老虎的猎杀。

你知道吗？

老虎一般在黄昏时捕猎，它们皮毛上的斑纹在夕阳下会和周围植物的颜色混杂在一起，不容易被发现。

武器随身带

老虎是凶猛的大型肉食动物。锋利无比的爪子和坚硬如铁的牙齿，是老虎最有力的两种随身“武器”。此外，老虎的尾巴也很厉害，使劲一扫，甚至可以打倒一只狼。

离它远一点

老虎一般喜欢独居，并且领地意识很强。它们多用自己的尿液在领地边界做标识，用气味来警告其他动物：“虎大王的领地，不容侵犯！”

森林音乐会

蝈蝈和山雀的斗歌比赛

蝈蝈是天生的音乐家。它正忙着为音乐会做准备呢。它跳上一片洒满阳光的树叶，头顶的两只触角有节奏地晃动着。

“唧唧！”音乐会开始了，音乐声时而清脆洪亮，时而低沉舒缓，太美妙了！

树上的大山雀被吵醒了，它“呼啦”一下飞了出来，亮开清脆的嗓子“叽叽”叫了两下，算是示威。

蝈蝈唱得正高兴，突然被打断了，当然不服气。于是，它表演得更起劲了。大山雀也毫不示弱，一瞬间，响亮的鸣叫声此起彼伏。

热闹的台下听众

动物们都出来欣赏音乐会，黄鼠狼也来了。这时，它发现了一只小斑羚。黄鼠狼高兴极了，它悄悄地俯下身，观察着小斑羚的动作，想等小斑羚走过来，再迅速出击、抓住它。

小斑羚的听觉和嗅觉灵敏极了，它察觉到危险，往森林里走了几步，突然停下脚步迅速扫视了一下四周，便转身离开了。

黄鼠狼连忙追上去，小斑羚也加快了速度，一时间，它们你追我赶，好热闹呀！

小斑羚跑到悬崖边，一纵身跳了过去。黄鼠狼站在悬崖边，眼睁睁地看着小斑羚越来越远，只能干着急。它失望地叫了几声，然后离开了。

狮子王朝

非洲大草原的早晨，在狮子持续的咆哮声中迎来新的一天。

王者风范

年轻的狮王长着一头深棕色的鬃毛，十分威风。它高大强壮的身躯、又粗又长的尾巴，都具有一种王者风范。

远离狮子

狮王用一阵咆哮，告诉其他狮群及别的动物，它的领土不容侵犯，随后就开始了领地巡游。它一边走，一边不断将尿液撒在灌木丛、草地上，来宣告它的领地范围。每个标识都透着这样的警告信息：请勿靠近，否则格杀勿论！

很少有别的动物敢不顾这样的警示

而冒险进犯。它们深知狮子迅疾而凶猛的捕杀能力，钢刀般锋利的牙齿，可像弹簧刀一样灵活出击的利爪，都可以在一瞬间就要了它们的命。所以，远离狮子是明智之举。

各司其职

成年雄狮负责保卫家园，雌狮负责捕猎。小狮子会受到整个狮群的保护和照料，它们在玩耍中学习捕猎技能，不断成长。

长颈鹿的烦恼

高高的长颈鹿在草原上悠闲地吃着树叶，看起来就像一棵棵移动的“大树”。

祖先不是长脖子

长颈鹿的祖先并不高。由于发生自然灾害时，地上的草越来越少，它们必须伸长脖子才能吃到高树上的叶子，久而久之，长颈鹿就变成了现在这样。

无敌大长腿

长颈鹿身高腿长。它们的四肢可前后左右全方位踢打，比跆拳道高手还厉害！成年狮子如果不幸被踢中，也会立刻腿断腰折。

大大眼睛看得清

长颈鹿的大眼睛像望远镜一样，远处有敌人，它们可立即发现。因此，即便是凶猛的狮子、猎豹等，一般情况下也伤不到长颈鹿。在它们还没接近时，发现敌情的长颈鹿早就逃远了。

长得太高也麻烦

大长腿也会给长颈鹿带来烦恼，它们喝水时必须前腿“劈叉”，或者跪在地上。这样很不方便，还可能让敌人乘虚而入！因此，低头喝水的长颈鹿会时不时抬起头来四处观望，确保周围很安全。

你知道吗？

长颈鹿可高达4.8～5.5米。我国著名篮球运动员姚明身高2.26米，也就是说，两个姚明叠起来，也不如一头长颈鹿高。

温厚的长鼻子先生

大象是陆地上最大的动物，它们性格温驯，智商也很高，是人类的好朋友。

大象的祖先叫始祖象

很久以前，始祖象的鼻子还没有那么长，它们主要吃地面上的植物。后来，地上的草越来越少，大象只能吃高处的叶和果实。为了吃到高处的树叶，它的鼻子就越变越长了。

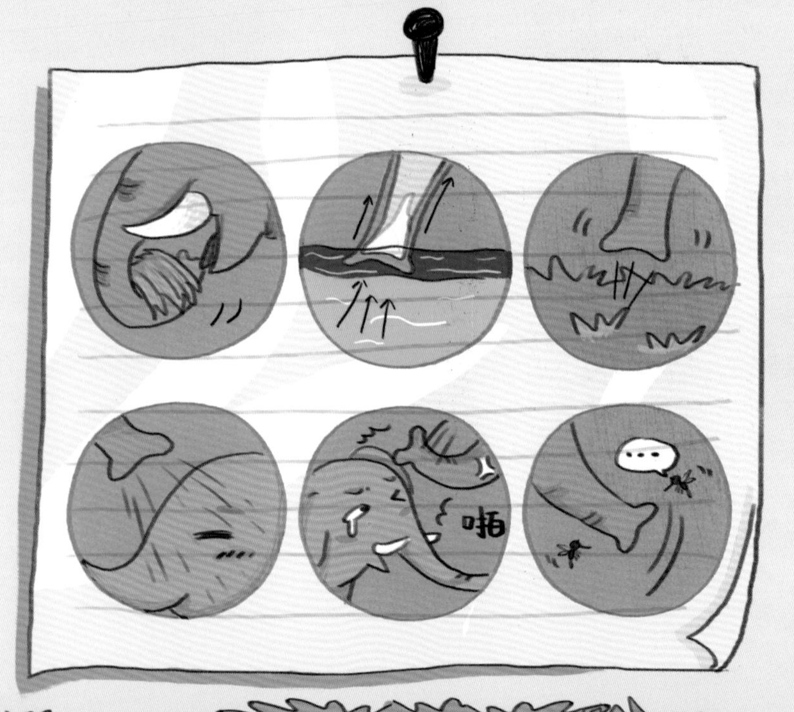

多功能的长鼻子

大象的长鼻子最神通广大，像人的胳膊和手一样灵活，能轻松将食物和水送到嘴里。大象游泳时，长鼻子能插在水面上，当呼吸管道用。另外长鼻子还能闻味道、喷水淋浴、战斗、驱蚊……用处真是太多啦！

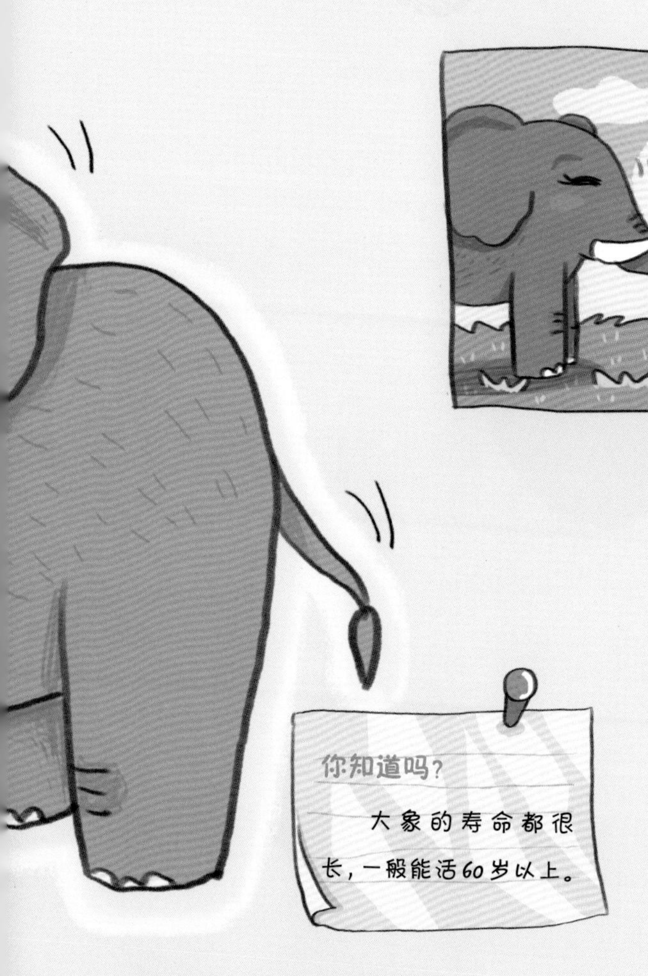

温驯善良的性格

大象性情温驯，很少去惹别的动物。当然，如果有谁主动招惹它，也不会有好果子吃。大象非常善良，如果家族中有成员死了，其他成员会为它默哀，用鼻子不断触摸它，直到确定它真死了，才依依不舍地离去。

你知道吗？

大象的寿命都很长，一般能活60岁以上。

谁说大象怕老鼠？

其实大象一点也不怕老鼠。大象只要一抬脚，就能把小小的老鼠踩死。即使老鼠钻进大象的鼻子里也没关系，大象只要使劲喷气，就能把鼻子里的东西喷出去，老鼠根本不可能堵住大象的呼吸。

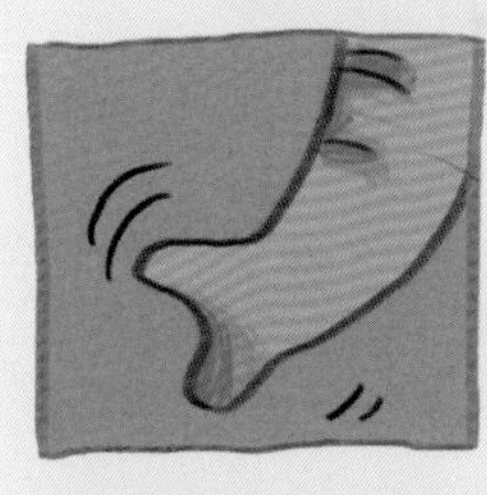
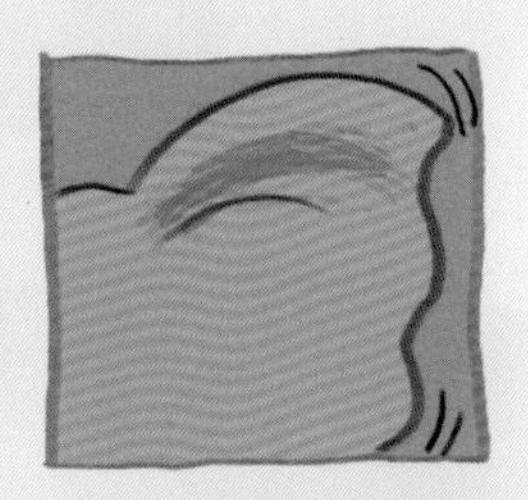

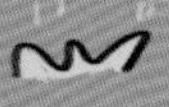

时尚的斑马

身穿条纹衫的斑马住在草原上，和动物之王狮子是邻居。斑马天生热爱自由，人类无法驯服它们，所以，斑马是不能骑的。

黑白条，超时髦

斑马身上布满黑白条纹，就像穿着迷彩服、混在动物群中的侦察兵，让人难以觉察。斑马的斑纹，可不仅是为了好看，而是一种很好的伪装，能达到隐藏自己、迷惑敌人的目的。

你知道吗？

斑马跑得很快，而且很有耐力。遇到紧急情况，它们还会使出撒手锏：马后腿。一匹斑马即使在奔跑中，使出的“马后腿”也能一下踢倒一头狮子。

迈开步，准备逃

斑马在埋头吃草时，也不忘支起长长的耳朵，探听四周的动静，或不时抬起头观察。一旦感觉有危险，它们会马上发出一种类似雁叫的声音，一边警示同伴，一边撒开蹄子就跑。

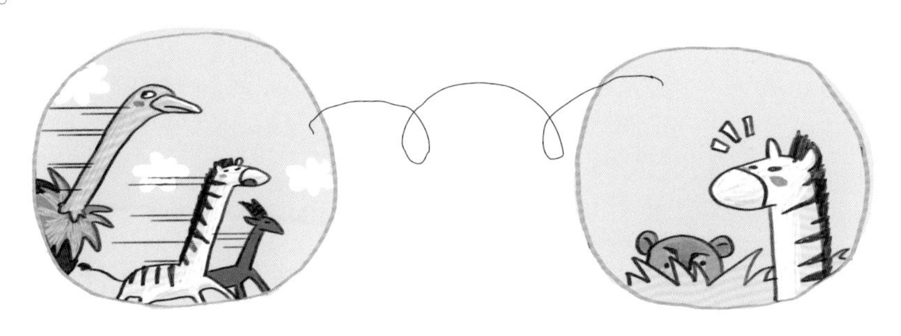

条纹衫，晃晕你

狮子在捕猎斑马时，常常会因为跑动在斑马群里，被无数条晃动的黑白条纹搞得头晕眼花，失去攻击目标。斑马因此逃过一劫，幸运生存下来。

跳跃精灵 藏羚羊

藏羚羊的四肢匀称有力，身体灵巧，在阳光下奔跑起来，就像是流动的光。

高原精灵

藏羚羊体格健壮，全身长满了浓密的毛，很耐寒冷。它们的每个鼻孔里都有一个小囊，这使它们在空气稀薄的高原上也能顺畅地呼吸。

奔跑健将

藏羚羊大多生性胆小，但非常机敏，并且善于奔跑。它们常常成群结队，在雪后的大地上，一排排快速奔跑、跃动。

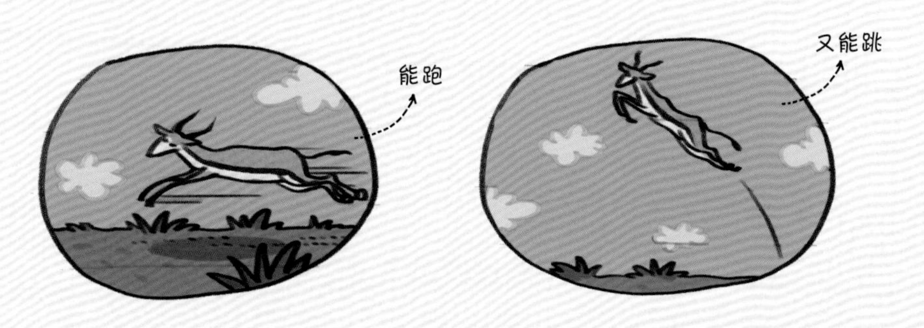

羚羊返乡

可可西里是藏羚羊的故乡。每年五、六月份，怀孕的母藏羚羊，无论身在何处，都会赶回可可西里准备分娩。它们会在那里产下幼崽，然后带领幼崽再一次离开，返回越冬地，去与公羚羊汇合。

你知道吗？

雄藏羚羊的脸是黑色的，腿上也有黑色的标记。与雌藏羚羊最明显的区别是，它们长着一对高高竖起的长尖角，可作为争斗、御敌的武器。

大嘴巴河马

河水泛滥过后，阳光照射着大地，天气闷热。一个庞然大物正从河里游来。它时而潜入水中，时而露出水面。哇，是只河马！

奇特的五官

河马体长三、四米，四肢短粗，身体圆胖得像个桶。河马的鼻孔、眼睛和耳朵全长在头顶，几乎构成一个平面，这样，当它们泡在水里的时候，不用抬头就能呼吸。

锋利的牙齿

河马张开血盆大口，打了一个哈欠。它的尖牙像明晃晃的匕首，十分锋利，估计什么都咬得动吧！

河马要避暑

天气实在太热了，河马身上没有汗腺，它只有将身体泡在水里，才能避暑。

近视眼犀牛

体型威猛的犀牛居然是近视眼，眼前不动的东西它几乎都看不清。

黑犀牛和白犀牛

非洲的草原上，生活着黑犀牛和白犀牛，它们都吃草，看起来笨头笨脑的。实际上，它们生性残暴，尤其是黑犀牛，它会主动攻击动物，直到用尖角顶死对方才罢休。

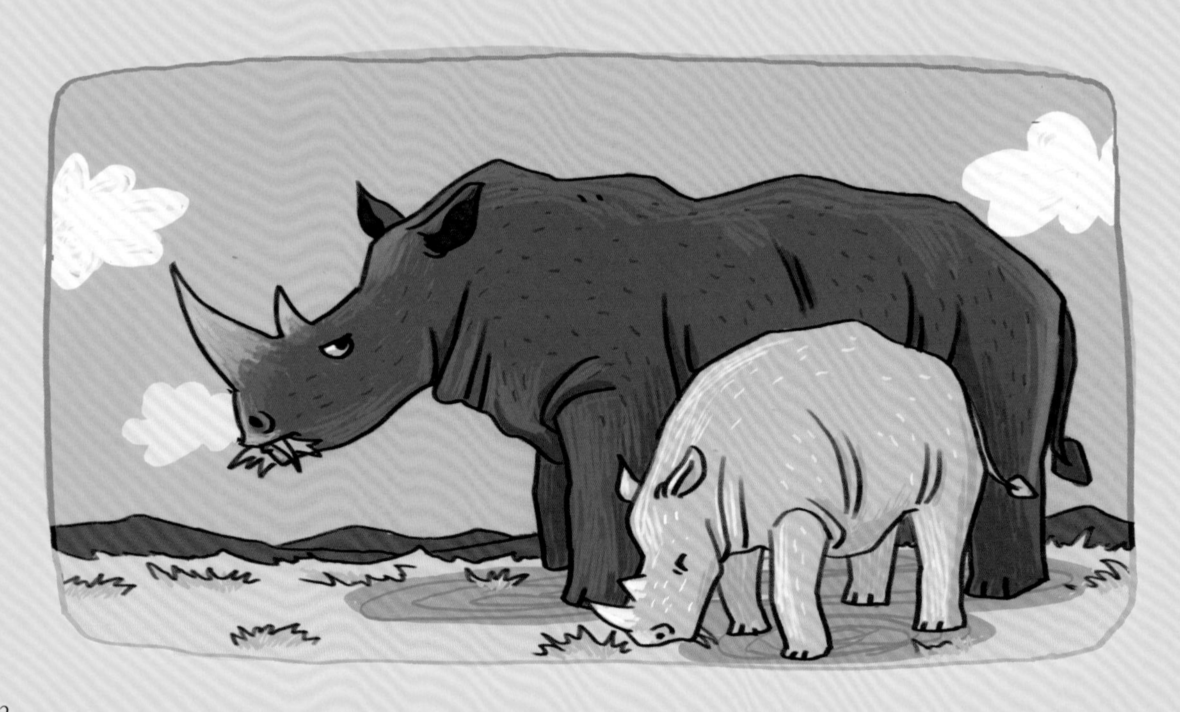

厉害的犀牛角

犀牛的模样像牛，角却长在鼻梁上。它们皮厚毛稀，腿粗如柱。犀牛角是极其厉害的武器，多有一长一短两个角，上下排列。

可惜是近视眼

我们知道，犀牛非常凶残，可是，犀牛为什么会让花鸽在它的脚下吃虫子呢？原来，这凶猛的家伙是个地道的近视眼，而且还是深度近视，眼前的静物它几乎看不到！

犀牛的盔甲

犀牛身上的皮既厚又硬，像穿了一件盔甲，总是流汗不止，消耗了体内的不少水分，因此，犀牛的饮水量很大。不过，盔甲是不可缺少的，不然，犀牛哪有资本横冲直撞！

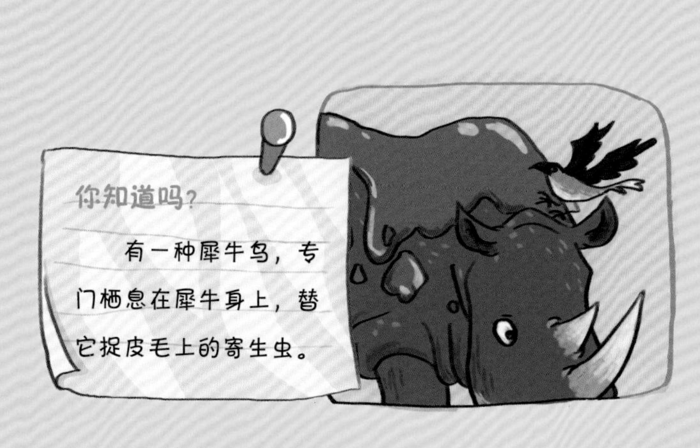

你知道吗？

有一种犀牛鸟，专门栖息在犀牛身上，替它捉皮毛上的寄生虫。

丹顶鹤的天堂

人们很喜欢丹顶鹤，并称它们为“仙鹤”。

丹顶鹤有“三长”：长腿、长脖子、长嘴。全身黑白分明，头戴一顶鲜红色的“帽子”，非常美丽。

丹顶鹤一般能活 20~30 年，有的甚至能活 50~60 年。因此，“仙鹤”自古以来就被人们看作长寿的象征。

每天清晨或黄昏，丹顶鹤会伸长脖子，发出清脆嘹亮的叫声，与其他成员“以歌会友”。丹顶鹤还会伴着有节奏的洪亮叫声，半展着双翅翩翩起舞，舞姿十分优美。它们是天生的艺术家。

丹顶鹤一年会换两次羽毛，就像人在春末换上夏装、在秋末改穿冬装一样。

美丽的天鹅湖

天鹅是一种美丽的水鸟，主要有黑、白两种颜色。白天鹅的羽毛像雪一样洁白，长长的脖子有身体的一半那么长，在水中游动时会弯成优美的“S”形，显得高贵优雅，带给人们无限美好的想象。

虽然天鹅美丽，但遇见它们时，只能远远欣赏，千万不要打扰它们平静的生活，更不要去侵犯它们。要不然，也许有一天它们就会悄然离开。

天鹅喜欢栖息在湖泊和沼泽地带，以水生植物为食。众所周知，天鹅是一种忠贞的鸟，它们坚持“终身伴侣制”，一旦一只不幸死亡，另一只将终生“守节”。

沙漠之舟

骆驼有着“沙漠之舟”的美名。对于它们来说，在大沙漠里活动就如同走在平地上一样轻松。那么，它们是靠什么本领在沙漠中自由行走的呢？

全身都是宝

骆驼的耳朵里有毛，能阻挡风沙进入耳朵；厚厚的双眼皮和浓密的长睫毛，能阻挡风沙进入眼睛；它们的鼻子还能自由关闭，以阻挡风沙进入鼻子。骆驼的脚掌又扁又平，脚下长着又厚又软的肉垫子，使得它们可以在沙地上自由行走，不必担心陷入沙中。

你知道吗？

骆驼有三个胃，每个胃的功能不同，能帮它们更好地吸收养分。

长长的睫毛

别看骆驼一副憨憨的样子，它的面部表情很可爱呢！瞪着两只大眼睛，睫毛超长；努起的嘴上扬着，仿佛在对你微笑。

驼铃响叮当

商旅驼队里的骆驼，脖子上挂着金色的响铃，它们能驮人也能运货。每次准备穿越沙漠前，主人会喂它们大量的水和食物。骆驼将大部分的食物和水储存在驼峰里，这样即使五、六天不吃不喝，它们也能有良好的体力。

不会飞的鸵鸟

鸵鸟是世界上最大的鸟。粗壮的双腿，支撑着庞大的身躯；长长的脖子上，长着一个小小的头，颜色灰扑扑的，有点丑。

奔跑的大长腿

鸵鸟跑得非常快，这多亏了它们的大长腿。它们跨一步，人得走七八步。飞奔中的鸵鸟，还能边跑边拍动翅膀，一边扇风助力，一边给自己散热，一举两得。

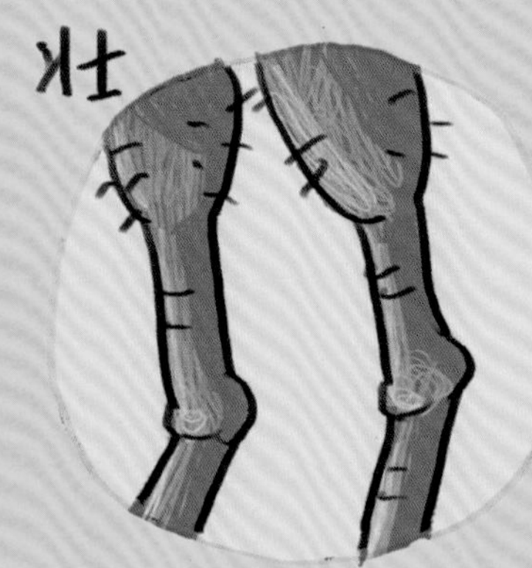

最大的鸟蛋

鸵鸟的蛋是世界上最大的鸟蛋，颜色有点像鸭蛋，重量超过 1 千克（相当于 16 个鸡蛋那么重），蛋壳非常坚硬，能经受住一个成年人的体重。

灵活的长脖子

鸵鸟的脖子又长又灵活，而且步幅很大。所以，沙漠里虽然食物稀缺，它们仍然能轻易找到。它们不但吃植物的花、叶、种子，还吃一些小动物呢。

你知道吗？

不啄食的时候，鸵鸟喜欢将头埋进沙里。鸵鸟这样做，一方面可以利用地面传声，听得更远；一方面可以放松颈部的肌肉，休息休息。

当心眼镜蛇

眼镜蛇是世界上最毒的蛇之一。它的背部有一对黑白斑，好像戴了一副眼镜——因此被称为“眼镜蛇”。

致命毒牙

眼镜蛇长着两颗长长的毒牙，一旦咬住动物，毒牙就会像针管一样，把毒素迅速注入猎物的体内。

你知道吗？

在印度，耍蛇人会吹一种特殊的笛子，让眼镜蛇“翩翩起舞”。眼镜蛇跳舞的时候非常优雅，就像天生的舞蹈家。

爬树高手

眼镜蛇的身长将近2米，动作非常灵敏。这家伙可是爬树高手，没两下就爬到了高处的鸟巢边。眼镜蛇常常竖起三分之一的身体，向敌人示威。它的毒性很大，要是不小心被它咬伤，一小时之内就会死亡。

别来惹我

眼镜蛇以捕食老鼠、蜥蜴、鸟类等小型动物为生。实际上，眼镜蛇并不会主动攻击人类，它们只是戒备心很重。

滚动的刺球

刺猬是一种非常喜欢安静的动物，它们怕光、怕热，胆子很小，容易受惊。它们不喜欢别人打扰它们的生活。

一只小刺球

一只沙猫发现地上有一团好玩的小绒球，它想将小绒球拨过来玩。刚一伸爪，沙猫好像被什么扎了一下，疼得它赶紧缩回了爪子。原来，这团小绒球，可不是真正的绒线团，而是浑身布满尖刺的小球。沙猫觉得它一点儿也不好玩，无趣地走开了。

惹我，就扎你！

等沙猫走远了，那团小刺球突然动起来，渐渐舒展开，露出了一对小眼睛和长长的小鼻子，还有短短的小尾巴——原来这是一只可爱的小刺猬。小刺猬边走边哼哼，好像在说："当我好欺负啊，我可是浑身长刺的，惹我，我就扎你！"

好多刺哦

小刺猬身上有100多根刺，这些刺一开始非常柔软。然而，要不了多久，它身上的刺就会逐渐硬化，变得像一根根钢针，十分厉害，吓得一般的动物都不敢欺负它啦！

空中杀手游隼

蔚蓝的天空中，一只游隼从云端冲出来，双翼快速地扇动了一会儿，随后张开双翼，在空中滑翔起来。

矫健的身姿

游隼的身手在鸟类中可非同一般。由于经常在高空中捕食，游隼的捕食速度比一般的猛禽快很多，因为它的翅膀相对比较狭窄，尾羽也比较短。

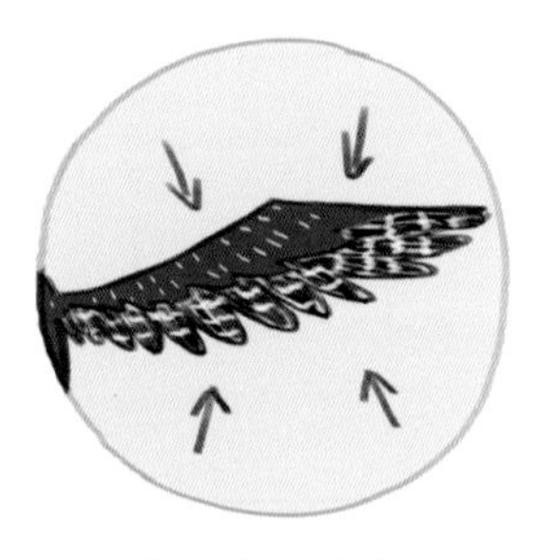

翅膀相对狭窄

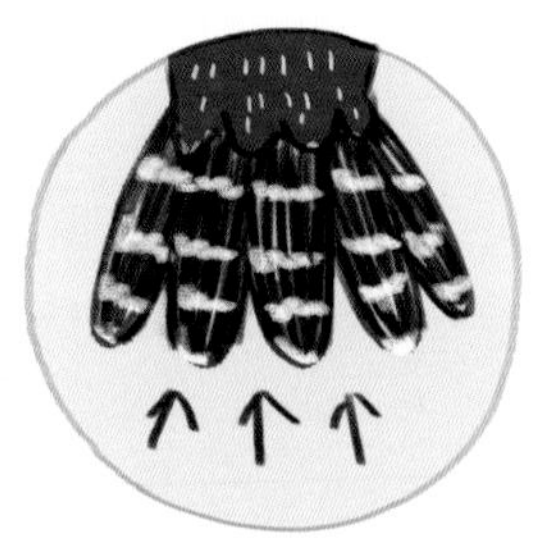

尾羽短

空中子弹

游隼还有一个“空中子弹”的称号。当猎物出现的时候，它便快速上升到空中，占领制高点，然后双翅快速地折起，让翅膀上的飞羽和身体平行，接着，将头伸缩到肩部，以每秒钟 75~100 米的速度，呈 25 度的角度，向猎物猛扑下来。当以 45 度角俯冲的时候，游隼的速度可以达到每小时 350 千米。

捕猎过程

游隼的眼睛眨也不眨，地面上的一切活动都尽在它的掌握中。一只毛腿沙鸡在水边喝水，游隼换了个滑翔的姿势，朝着毛腿沙鸡的方向急速滑翔着，并且密切地注视着对方。

游隼在空中把位置调整到最佳，而后，它张开翅膀，悄无声息地朝地面猛冲过来。褐色的影子在空中“嗖”地一闪，游隼已经到了地面，并给了毛腿沙鸡致命一击。游隼用利爪死死抓住毛腿沙鸡，紧接着用尖硬的鸟嘴啄住它的脖子，后趾一抓，把它提到了空中。毛腿沙鸡挣扎了一会儿，便奄奄一息了。

你知道吗？

游隼主要栖息于山地、丘陵、半荒漠、沼泽与湖泊沿岸地带，也在开阔的农田、耕地和村庄附近活动。分布甚广，几乎遍布于世界各地。

夜晚的精灵

“夜行侠”蝙蝠

夜幕降临了。喜欢白天活动的动物们都回家了。不过，动物界还有一些“夜行侠”，它们最爱在夜间活动。蝙蝠就是一个典型的“夜行侠”。

饿了一天啦，蝙蝠们都出来找吃的了。昆虫是它们的主食，它们偶尔也会吃野果或花蜜。

瞧，蝙蝠飞得多自在啊！好像早就探查好了所有的地形，根本不用担心撞到什么东西，这是为什么呢？原来，它们是靠超声波探路的。

大灵猫出动了

寂静的夜晚，大灵猫悄悄出发了。它轻轻地踩着落叶，一边走、一边将香囊分泌的灵猫香涂抹在沿途的树干、岩石等突起的物体上，这是大灵猫在划分领域。灵猫香是不是很香呢？错，灵猫香奇臭无比。其他动物只要闻到这种气味，就会远远避开。

大灵猫是个全能的猎手。它既能深入水里抓鱼，又能爬到树上捉虫。一条青色的大虫子正趴在那儿，大灵猫轻手轻脚地爬过去，瞅准时机，伸长脖子，转眼间，青虫已经被它送进嘴里，“嚓嚓”吃掉了。

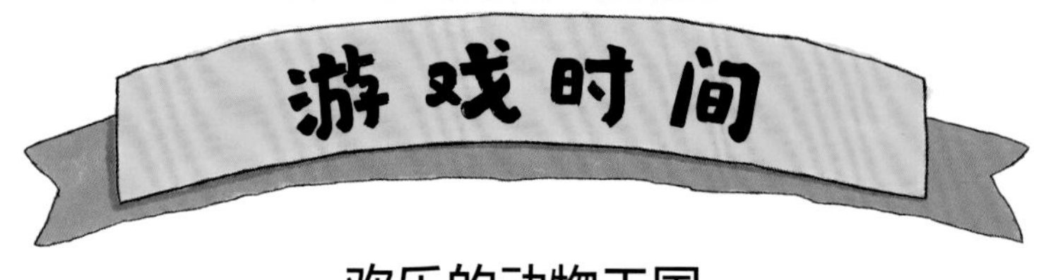

欢乐的动物王国

快来给小动物们涂上美丽的颜色吧！